El puzle del panda desaparecido

Misión China

Elizabeth Singer Hunt

Ilustraciones de Brian Williamson
Traducción de Isabelle Marc

www.literaturasm.com

Primera edición: octubre 2008
Tercera edición: agosto 2012

Dirección editorial: Elsa Aguiar
Coordinación editorial: Gabriel Brandariz
Ilustraciones y cubierta: Brian Williamson
Traducción: Isabelle Marc

Título original: *Secret Agent Jack Stalwart:*
  The Puzzle of the Missing Panda: China
© Elizabeth Singer Hunt, 2004, 2007
© Ediciones SM, 2008
  Impresores, 2
  Urbanización Prado del Espino
  28660 Boadilla del Monte (Madrid)
  www.grupo-sm.com

ATENCIÓN AL CLIENTE
Tel.: 902 12 13 23
Fax: 902 24 12 22
e-mail: clientes@grupo-sm.com

ISBN: 978-84-675-2781-0
Depósito legal: M-43610-2009
Impreso en la UE / *Printed in EU*

Para Ann y Robert Hunt

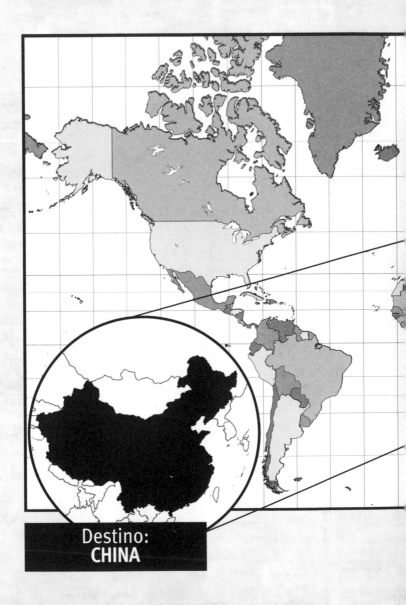

Destino:
CHINA

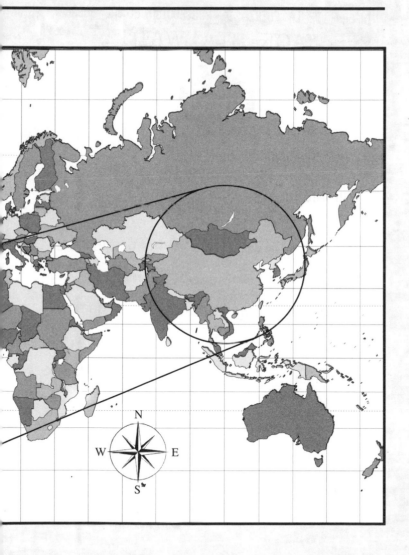

JACK STALWART

Jack Stalwart solicitó convertirse
en agente secreto de la Fuerza de
Protección Global hace cuatro meses.

Me llamo Jack Stalwart. Mi hermano mayor,
Max, trabajó como agente secreto para
ustedes hasta que desapareció en una
de sus misiones. Ahora yo también quiero
ser agente secreto. Si me eligen, seré un
agente secreto excelente y acabaré con todos
los malvados, como lo hacía mi hermano.
Atentamente,

Jack Stalwart

ARCHIVO DE LA FUERZA DE PROTECCIÓN GLOBAL:
ALTO SECRETO

Jack Stalwart empezó a trabajar para
la Fuerza de Protección Global hace cuatro
meses. Desde entonces, ha llevado a cabo
con éxito todas sus misiones y ha conseguido
arrestar a doce terribles malvados.
Por eso se le ha asignado el nombre
en código de VALIENTE.

Jack aún no sabe dónde está su hermano,
Max, que sigue trabajando para nosotros
en un lugar secreto. Y no debe saberlo nunca.
Bajo ningún concepto debe decírsele dónde
está su hermano.

Gerald Barter

Gerald Barter
Director de la Fuerza de Protección Global

COSAS QUE VAS A ENCONTRAR EN TODOS LOS LIBROS

Reloj-Teléfono: Es el único aparato que Jack lleva siempre, incluso cuando no está de servicio. Es esencial porque hace funcionar a los otros aparatos. Tiene funciones muy importantes, como el botón C, que le proporciona el código diario, imprescindible para abrir la Mochila de Agente Secreto de Jack. Además, de uno de los botones de los lados sale el Bolígrafo de Tinta de Fusión, que puede salvarle la vida en determinadas situaciones. El reloj tiene incorporado un teléfono y, por supuesto, también da la hora.

Fuerza de Protección Global: La FPG es la organización para la que trabaja Jack. Es una fuerza internacional de jóvenes agentes secretos cuyo objetivo es proteger el mundo, sus habitantes, sus espacios y sus pertenencias. Nadie sabe a ciencia cierta dónde está su cuartel general (todo el correo y los aparatos para reparar se envían a un apartado de correos y el entrenamiento se hace en distintos lugares del mundo), aunque Jack cree que se encuentra en algún lugar muy frío, como el círculo polar.

Whizzy: Es la bola del mundo mágica de Jack. Casi todas las noches, exactamente a las 19:30, la FPG se sirve de Whizzy para indicarle a Jack el país al que debe viajar. Aunque Whizzy no puede hablar, puede estornudar mensajes. Los padres de Jack piensan que Whizzy es una bola del mundo normal.

El Mapa Mágico: El Mapa Mágico está colgado en la pared de la habitación de Jack. A diferencia de la mayoría de los mapas, está hecho con una madera misteriosa y cuando Jack introduce el trozo de país que le ha dado Whizzy, el mapa se traga a Jack enterito y lo envía a su misión. Cuando regresa, ha pasado exactamente un minuto.

La Mochila de Agente Secreto: Es la mochila que lleva Jack en todas sus aventuras. Es exclusiva para los agentes de la FPG y contiene todos los aparatos secretos para atrapar a los malos y escapar de una muerte segura. Para activar la mochila antes de cada misión, Jack tiene que introducir el código secreto que le da su Reloj-Teléfono. Después, solo tiene que poner el dedo en la cremallera y entonces la mochila lo identifica como su dueño y se abre inmediatamente.

LA FAMILIA STALWART

John, el padre de Jack

Se trasladó a Gran Bretaña cuando Jack tenía dos años para trabajar en una compañía aeroespacial. Todo lo que sabe Jack es que su padre diseña y construye componentes de aviones. John cree que su hijo es un chico normal y que Max, el mayor, está estudiando en una escuela en Suiza. El padre de Jack es americano y su madre es inglesa, por lo que Jack es un poco mitad y mitad.

Corinne, la madre de Jack

Para Jack, es una de las mejores madres del mundo. Cuando ella y su marido recibieron una carta de una escuela suiza en la que invitaban a Max a estudiar allí, se pusieron muy contentos. Desde que Max se fue hace seis meses, han recibido varias cartas escritas con la letra de Max diciéndoles que estaba bien. Pero no saben que todo es mentira y que es la FPG la que se las está enviando.

Max, el hermano mayor de Jack

Hace dos años, cuando tenía nueve, Max empezó a trabajar con la FPG. Max le contaba a Jack todas sus aventuras y le enseñó el funcionamiento de todos los aparatos de agente secreto. Cuando la familia recibió una carta en la que invitaban a Max a ir a una escuela en Suiza, Jack pensó que aquello tenía que ver con la FPG. Max le dijo que tenía razón, pero que no podía contarle nada acerca de su misión.

Jack Stalwart

Hace cuatro meses, Jack recibió una nota anónima que decía lo siguiente: «Tu hermano está en peligro, solo tú puedes salvarlo». Tan pronto como pudo, Jack se presentó para ser agente secreto. Desde entonces, Jack, de tan solo nueve años, se ha enfrentado a algunos de los malvados más peligrosos del mundo, y espera encontrar y salvar a su hermano Max algún día, en alguno de sus viajes.

DESTINO:
China

La mayoría de los chinos viven de la agricultura, cultivando plantas como el arroz, el maíz, las patatas dulces o los cacahuetes.

China se encuentra en el continente asiático.

La escritura china utiliza símbolos en lugar de letras. Hay más de 40.000 símbolos o caracteres.

La capital del país es Pekín.

La moneda oficial de China es el yuan.

Es el tercer país más grande del mundo. Una de cada cinco personas de la Tierra vive en China.

El mandarín es el idioma oficial, aunque en el país se hablan muchas lenguas más.

LOS OSOS PANDA GIGANTES

Presentación y características

- **En China hay más pandas gigantes que en cualquier otra parte del mundo.**

- **El nombre chino para los pandas gigantes podría traducirse como «gran gato-oso».**

- **Los osos panda se alimentan principalmente de bambú, aunque también les gustan los huevos, la miel y los insectos.**

- **Como tienen una digestión lenta, pueden comer durante doce horas al día.**

- **Los pandas tienen cinco dedos y un pulgar.**

- **La principal amenaza para los osos panda es el deterioro de su hábitat natural debido a la tala de árboles y al desarrollo humano.**

EL EJÉRCITO DE TERRACOTA

El ejército de terracota no es realmente
un ejército, sino una colección de más de 8.000
estatuas de arcilla con forma de oficiales
y soldados.

Qin Shi Huang, el primer emperador que unificó
China, fue quien encargó su construcción para
introducirlas en su tumba tras su muerte,
en el 210 d.C.

Las estatuas fueron halladas en 1974 cerca de
Xian por un hombre que buscaba agua.

El ejército está organizado en tres unidades:
el ejército principal, la guardia militar
y los mandos.

No hay dos soldados iguales, y cada uno tiene
un rostro y un uniforme diferentes.

La tumba del emperador sigue sellada.

MANUAL DE DISPOSITIVOS DEL AGENTE SECRETO

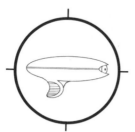

El Mapa Amigo: Si estás perdido o necesitas llegar a algún lugar rápidamente, utiliza el Mapa Amigo de la FPG. Este aparato recibe señales de los satélites espaciales para proporcionarte el mapa de cualquier ciudad o cualquier pueblo del mundo. También te puede indicar cómo ir de un sitio a otro por medio de flechas que indican el camino.

Pistola Láser: La Pistola Láser de la FPG emite una potente luz blanca con la que se puede partir casi cualquier cosa. Es ideal si necesitas hacer un agujero con rapidez, encender una hoguera o cortar algo muy duro.

Descodificador de Lenguajes Secretos:

Cuando necesitas saber de qué está hablando alguien, utiliza el Descodificador de Lenguajes Secretos de la FPG. Para traducir un texto, presiona el botón «leer». Para traducir discursos orales, presiona «escuchar» y espera a que la traducción aparezca en la pantalla.

Sensor de Movimiento:

Aunque el Sensor de Movimiento de la FPG parece una moneda, en realidad es un dispositivo de alta tecnología. Quítale la cubierta y colócalo en el lugar escogido. Una vez que esté activado, enviará señales a tu Reloj-Teléfono si algo se mueve en un perímetro de tres metros a su alrededor.

Capítulo 1
La llave de judo

Jack y su madre llegaron al *parking* del ayuntamiento.

–Te recogeré dentro de una hora –le dijo su madre. Jack abrió la puerta, se despidió con la mano y cerró tras de sí. Su madre, que tenía compras que hacer, arrancó y se fue.

Todas las semanas, veinte chicos, incluido Jack, se reunían para aprender judo con uno de los mejores instructores de Gran Bretaña, el señor Baskin. Gracias al señor Baskin, Jack acababa de ganar el cinturón amarillo. El judo, que es un arte marcial japonés, estaba recomendado por la FPG, y además, a Jack le encantaba.

Al entrar en el edificio, Jack vio a sus amigos Richard y Charlie. Llevaban puesto el uniforme de judo o judogui, que consiste en unos pantalones blancos y una chaqueta atada con un cinturón especial. Jack se acercó para saludar, pero casi al

mismo tiempo, el señor Baskin dijo en voz alta:

–Todos a clase. Vamos a empezar.

Jack se situó al borde del tatami, se arregló el judogui y se quitó las chanclas. Richard, Charlie, Jack y el resto de la clase entraron en el tatami y esperaron las instrucciones del profesor.

–Trabajo de suelo. ¡Estilo comando! –ordenó el señor Baskin.

Todos sabían qué tenían que hacer. La primera fila de alumnos se dirigió hacia un lado del tatami, tirándose al suelo boca abajo. Entonces, empezaron a avanzar con los codos, como soldados en una trinchera. Tan pronto como terminaron, el señor Baskin lanzó otra orden.

–¡Voltereta lateral!

Jack oyó a los otros chicos quejarse. A las chicas les encantaban las volteretas laterales, pero a los chicos les costaba mucho hacer ese movimiento.

Jack la hizo lo mejor que pudo. Cuando terminó de cruzar el tatami, el señor Baskin llamó a todo el mundo. Los alumnos se acercaron hasta el centro del tatami, sentándose sobre los talones, dispuestos a escuchar atentamente lo que el profesor tenía que decirles.

–¿Alguien sabe qué significa *hansokumake*? –preguntó.

Jack conocía la respuesta. Levantó la mano:

–Descalificación –le respondió al señor Baskin.

–Así es –asintió el profesor, encantado de que fuese la respuesta correcta–. ¿Y por qué se descalifica a alguien? –volvió a preguntar.

Charlie levantó la mano.

–Por agarrar al adversario por la manga –respondió.

Eso no es motivo de *hansoku-make* –dijo el señor Baskin–. ¿Alguien sabe qué ocurre si agarramos de la manga al adversario?

Richard levantó la mano:

–¿Un *shido*?

–Exactamente –aprobó el señor Baskin–. Agarrar al adversario por la manga causa un *shido* o falta leve.

–¿Y qué más formas de descalificación hay? –preguntó el profesor.

Una chica situada detrás de Jack levantó la mano. Aunque no la conocía, Jack sabía que la chica tenía un nivel de judo superior porque llevaba un cinturón naranja.

–Dar un golpe en la cara –dijo, con una sonrisa traviesa.

El profesor le devolvió la sonrisa.

–Eso está bien, Charlotte –dijo–. ¿Alguna idea más?

Charlie volvió a levantar la mano.

–¿Y si llevas metal o joyas? –preguntó.

–Efectivamente –asintió el señor Baskin, contento porque la clase había atendido a sus explicaciones de los días anteriores.

Otra chica levantó la mano. Jack reconoció a Emma, una niña que vivía cerca de su casa. Tenía ocho años.

–¿Morder? –sugirió.

–Perfecto –dijo el señor Baskin–. Dar puñetazos, llevar metales y morder son acciones que provocan la descalificación.

–Y ahora –prosiguió–, vamos a aprender una nueva llave. Se llama *harai goshi*, o «barrido de cadera», y es un movimiento excelente que puede tener importantes ventajas.

Se levantó y, con la ayuda de Tim, un chico de trece años que a veces le ayudaba, le mostró a la clase cómo se hacía la llave. Cuando terminó la demostración, el señor

Baskin pidió a todos que encontrasen una pareja. Richard y Charlie se pusieron juntos, así que Jack se quedó solo, aunque por poco tiempo. Charlotte, la chica del cinturón naranja, se volvió hacia él casi de inmediato.

–¿Quieres ser mi pareja? –le preguntó.

Jack miró a su alrededor en busca de otra opción, pero todo el mundo había encontrado ya a alguien. Nunca le había gustado entrenar con chicas porque no le gustaba tener que hacerles daño.

–Vale –aceptó a regañadientes–. ¿Empezamos ya?

Jack y Charlotte se saludaron. Mientras Jack se disponía a agarrar la manga de Charlotte, ella se movió con rapidez. Lo cogió del brazo derecho, se retorció hacia él, lo levantó por encima, le agarró el pantalón y lo tiró al suelo.

¡PUM!

29

Jack se dio un fuerte golpe contra el suelo. Nunca había sido derribado por una chica. Miró a Charlotte, que lo observaba desde arriba, con los brazos en jarras y una expresión de satisfacción en la cara. Menos mal que sus amigos no habían visto nada de lo ocurrido.

Haciendo como si nada, Jack se levantó y le dijo tranquilamente:

–Te he dejado ganarme.

Jack y Charlotte se dispusieron a empezar de nuevo, agarrándose de los judoguis. Jack repasó mentalmente los movimientos de la llave. Justo cuando iban a enfrentarse de nuevo, el señor Baskin les pidió que encontrasen otra pareja. Sin decir palabra, Charlotte se arregló la coleta y se marchó pavoneándose.

Antes de que Jack pudiera reaccionar, Adam se había situado frente a él. Ambos chicos estaban en la misma clase. Se saludaron y, después de un buen forcejeo, Jack consiguió tirar al suelo a su oponente. Repitieron el movimiento y Jack dejó que Adam ganase.

Estuvieron practicando la llave varias veces, así que al final de la clase Jack dominaba bastante bien el *harai goshi*. Ahora solo tenía que volver a encontrar a Charlotte. Y esta vez la ganaría. Pero, desafortunadamente, eso no iba a ser posible; por lo menos, no aquel día.

–Se acabó por hoy –ordenó el señor Baskin–. Sentaos en fila delante de mí.

Jack y el resto de la clase se sentaron sobre sus talones ante el señor Baskin, que los felicitó por sus esfuerzos. Tan pronto como terminó la clase, Jack, Richard y Charlie cogieron sus cosas y salieron juntos.

Mientras esperaban a sus madres, se pusieron a hablar de un montón de cosas y de si iban a participar en el próximo campeonato de judo (Richard sí, Charlie no y Jack probablemente sí).

Cuando llegó su madre, Jack se despidió de sus amigos y se subió al coche, repleto de paquetes y bolsas.

Al llegar a casa, ayudó a su madre a meter las bolsas de comida en casa y luego estuvo jugando a las carreras de coches con la consola. Después de cenar, le dio un beso a su madre –su padre se había vuelto a quedar trabajando todo el fin de semana– y subió a su habitación. Colgó el cartel de PROHIBIDO ENTRAR en la puerta porque, aunque adoraba a su madre, no le gustaba que entrara en cualquier momento. Y es que en aquella habitación ocurrían cosas que eran alto secreto. Y ya eran casi las siete y media de la tarde.

Capítulo 2
El país con forma de ciervo

Justo después de cerrar la puerta, Jack miró a Whizzy, su bola del mundo, que estaba profundamente dormido. Al verlo así, se acordó del día en que lo conoció, el día del juramento oficial en la FPG, cuando Jack se convirtió finalmente en agente secreto.

La señora Pembroke, la responsable de los globos terráqueos, le pidió que eligiese uno. Jack se dio cuenta de que todos tenían nombres como Zippy o Zoom, así que cuando llegó a uno que se llamaba Whizzy, se detuvo para verlo más de cerca.

Entonces, el globo le sonrió, levantó las cejas y le guiñó un ojo. A Jack le pareció muy mono, así que lo cogió y le dijo a la señora Pembroke:

—Me quedo con este —y así es como Whizzy se instaló en casa de Jack a partir de aquella noche.

Jack se acercó a su amigo en el preciso instante en que su Reloj-Teléfono marcó las 19:30. Casi de inmediato, Whizzy se despertó y, al ver a Jack, le guiñó un ojo y empezó a girar.

Jack se quedó mirando cómo giraba más y más deprisa. Tras unos segundos, Whizzy estornudó –¡achís!–. De su boca salió una pieza de puzle con la forma de un país. Jack la recogió y Whizzy, agotado después del esfuerzo, se volvió a quedar dormido.

–Este se parece a un ciervo con dos astas –se dijo Jack mientras examinaba la pieza en su mano–. Ahora, veamos dónde encaja.

Jack la llevó hasta el Mapa Mágico, que tenía más de 150 países grabados en una madera especial. Cuando Jack colocara la pieza en el lugar adecuado, el Mapa lo transportaría hasta su siguiente misión.

Jack empezó deslizando la pieza a partir del extremo izquierdo del mapa por todos los huecos. Cuando cruzó el continente europeo y llegó hasta Asia, la pieza encajó y apareció la palabra CHINA, que se desvaneció casi al instante.

–¡Es increíble! ¡Voy a ir a China! –exclamó.

Desde que había ido a comer con sus padres a un restaurante chino, Jack estaba interesado por la comida y la lengua de ese país.

Como sabía que mucha gente en China no hablaba inglés, Jack pensó que necesitaría su Descodificador de Lenguajes Secretos. Acto seguido, apretó el botón C de su Reloj-Teléfono y pidió el código del día.

Después de recibir la palabra R-O-L-L-I-T-O, la introdujo como clave en su Mochila de Agente Secreto y esperó a que esta se abriera. Entonces comprobó su contenido: el Descodificador de Lenguajes Secretos, el Hacedor de Llaves Mágicas, el Sensor de Movimientos y el Lanzador de Red.

Cerró la mochila, se la ajustó a la espalda y se colocó frente al Mapa Mágico, mirando a China. Entonces, una lucecita naranja empezó a brillar con más y más intensidad hasta que iluminó toda la habitación.

Cuando lo tuvo todo preparado, Jack dijo en voz alta:

–¡A China!

En ese instante, la luz centelleó y se tragó a Jack dentro del Mapa Mágico.

Capítulo 3
El bosque en la niebla

Al abrir los ojos, Jack se encontró en medio de un gran bosque cubierto por la niebla y lleno de altísimas ramas de bambú verde. Jack sabía que el bambú no era un árbol, sino una variedad de hierba, y que crecía en la mayor parte de las regiones de Asia.

En su entrenamiento para la FPG, había aprendido los beneficios del bambú, una planta ligera pero muy fuerte, que servía para hacer muchas cosas, como escaleras o barcas, ya que flotaba bien. Además, dentro de los tallos había pequeños gusanos que podían comerse en caso de necesidad.

Jack ya había probado un gusano del bambú que, sorprendentemente, no sabía a gusano, sino a mantequilla de cacahuete, que era una de sus comidas favoritas. Desde luego, saber cosas sobre el bambú era importante si te enviaban en misión a Asia.

Un crujido de ramas sacó a Jack de sus pensamientos. Rápidamente, se volvió y se encontró con una mujer pequeña, vestida de color caqui, que se dirigía hacia él. Parecía agradable y lo miraba con una sonrisa.

–*Nǐ háo* –dijo al acercarse a Jack–. *Wǒ jiào* Mei. Es un placer conocerte –añadió inclinándose ante Jack.

Jack supuso que era su contacto y se inclinó hacia ella con respeto.

–*Wǒ jiào* Jack –respondió. Quería saber si Mei hablaba inglés–. Encantado de conocerla. ¿En qué puedo ayudarla? –le preguntó.

43

Mei asintió para mostrarle que le entendía.

–Ha ocurrido algo horrible –dijo bajando la mirada y sacudiendo la cabeza–. Estamos en la Reserva Natural Wolong, uno de los principales hábitats para los pandas gigantes. Solo quedan unos mil pandas gigantes en el mundo, y muchos de ellos viven en esta reserva.

–Ayer por la noche –prosiguió–, una de las hembras panda, Ling, desapareció. Nadie sabe qué le ha ocurrido, pero creo que la han raptado. Necesito que encuentres a Ling y la traigas de vuelta a la reserva lo antes posible.

Antes de que Jack pudiera responder, Mei añadió:

–El tiempo es crucial porque Ling necesita el bambú para sobrevivir. Cuanto más tiempo esté fuera de la reserva y sin bambú, mayor riesgo correrá su vida.

—No te preocupes —intentó tranquilizarla Jack—. Recuperaré a Ling. Y ahora, lo primero que hay que hacer es examinar el lugar donde fue vista por última vez.

—Por supuesto —asintió Mei—. Le pediré a Fong, uno de los ayudantes del parque, que te muestre el lugar. Seguro que te será de gran ayuda, porque es él quien se encarga de Ling y de anotar sus movimientos.

—Perfecto —dijo Jack, que estaba ansioso por empezar la misión—. Me encantará conocerlo.

Capítulo 4
El adolescente peludo

Mei llamó por radio a Fong para que se encontrase con ellos. Pocos minutos después, el ayudante del parque apareció. Al verlo, Jack se quedó un tanto sorprendido, porque no era como se lo esperaba.

En primer lugar, Fong no era un adulto, sino un adolescente. Además, iba totalmente vestido de negro. Parecía que no se había lavado el pelo desde hacía siglos, y llevaba tatuado un escorpión en la mano izquierda. En la barbilla tenía un lunar

46

con un pelo negro y rizado tan largo que Jack no podía dejar de mirarlo.

–¿Tú qué miras? –le gruñó Fong. Jack se sorprendió al oírle hablar su idioma.

–Esto… Nada, nada –balbució Jack obligándose a apartar la vista del pelo; rápidamente, le tendió la mano a Fong–. Hola, estoy aquí para ayudaros a encontrar a Ling.

Fong se quedó mirando a Jack con enfado, probablemente porque no le había gustado que se fijase en su lunar. No le tendió la mano.

–Fong –dijo Mei interrumpiendo aquel silencio incómodo–, ¿por qué no le enseñas a Jack el lugar donde Ling fue vista por última vez?

–Sería muy útil si pudieras llevarme allí. Puede que encontremos alguna pista útil para la investigación –añadió Jack.

Durante un segundo, Fong examinó a Jack. Luego, se dio la vuelta y echó a andar por el bosque.

–Tendrás que perdonar a Fong –se disculpó Mei–. Es un poco tímido y no habla mucho. Y además, está preocupado por Ling.

—No te preocupes, Mei —repuso Jack educadamente—. Conozco a todo tipo de gente en este trabajo. Y estoy seguro de que acabaré llevándome bien con Fong. La próxima vez que nos veamos, te traeré a Ling —añadió al despedirse.

—Eso espero —asintió Mei.

Capítulo 5
Un sucio camino

–¿Cómo decidiste trabajar en el parque? –quiso saber Jack, intentando encontrar un tema de conversación mientras se adentraban en el bosque caminando sobre ramas caídas.

Fong levantó la mirada, pero siguió andando en silencio por delante de Jack. Por cada paso que daba Fong, Jack tenía que dar dos.

–Me refiero a que debe de ser impresionante ver a un panda gigante en libertad. Yo solo los he visto en fotos o en Internet. ¿Cómo son en la vida real? –siguió preguntando Jack.

Pero Fong ignoraba a Jack. Era obvio que seguía enfadado por lo del lunar.

–Bueno, estoy seguro de que pronto encontraremos a Ling –dijo Jack mientras avanzaban.

En ese preciso instante, Fong se detuvo y se giró hacia Jack. Se quedó mirándolo durante unos segundos y luego señaló un claro en el bosque.

–Allí –farfulló.

–¡Genial! –exclamó Jack.

Se trataba de una amplia zona aplastada por el peso de la osa panda al sentarse, probablemente mientras comía bambú. Alrededor del claro había trozos rotos de bambú y excrementos frescos de animal.

Jack se agachó para examinar el lugar más detenidamente, pero no halló nada raro en el bambú o en las deposiciones. Aunque sí

vio un rastro de pequeñas ramas y hierba
pisada que salía desde el claro hacia la derecha. Jack pensó que quizás habían drogado a Ling y la habían arrastrado desde allí.
Siguió el rastro con la mirada y vio que
continuaba bajo unos árboles.

–¿Adónde lleva? –le preguntó Jack a
Fong, que levantó las cejas, se encogió de

hombros y meneó la cabeza en señal de que desconocía la respuesta.

Jack le hizo una seña para que lo siguiera y se adentró rápidamente, pero con cuidado, en el bosque. Al retirar unas ramas de su camino, vio que entraba luz, a unos diez metros aproximadamente. Pensó que tenía que haber otra salida.

Al examinar el suelo del camino, Jack reparó en un trozo de papel. Se agachó para recogerlo, pero lo que parecía un papel resultó ser una caja de cerillas. Era muy raro

que algo así se encontrara en medio del bosque.

Como no tenía tiempo de descifrar los caracteres chinos de la caja, se la guardó en el bolsillo del pantalón y prosiguió la marcha. Y es que Ling aún podía estar cerca, así que debía darse prisa.

En el límite de los árboles había un excremento aplastado por la marca de una rueda. Parecía reciente. A la derecha, el camino se detenía; a la izquierda, continuaba hacia el norte. Aunque las marcas en la boñiga no eran muy claras, Jack se dio cuenta de que el vehículo era una especie de camioneta.

Jack se dirigió a Fong:

—Quien se haya llevado a Ling, la habrá cargado en una camioneta aquí —le explicó—. Tenemos que ir hacia el norte para intentar encontrar más pistas.

Fong miró a Jack y cogió su teléfono móvil:

—Voy a llamar a un amigo —masculló.

Marcó el número y habló en chino con alguien. Diez minutos después, apareció una camioneta ante Jack y Fong. Se abrió la puerta del pasajero y Jack miró en el interior.

En el asiento del conductor había otro guarda adolescente con el pelo largo que sonrió a Jack.

–Hola, ¿qué tal? –saludó sonriente–. Soy Wong. Me he enterado de que estás buscando a Ling. Sube y la buscaremos juntos.

–Genial –aprobó Jack, contento de que alguien más estuviese interesado en encontrar al panda.

Jack se metió en la parte trasera de la camioneta y Fong se sentó junto a Wong. Entonces, Wong pisó a fondo el acelerador y los tres despegaron, dejando una nube de polvo tras de sí.

Capítulo 6
El lenguaje secreto

Tras unos minutos conduciendo por la pista de tierra, Fong abrió el compartimiento de la guantera y sacó un paquete de tabaco. Luego, cogió una caja de cerillas del bolsillo de la camisa y se encendió un cigarrillo.

Después de dar una profunda calada, Fong bajó la ventanilla y tiró la caja de cerillas vacía fuera. Pero el viento hizo que la caja volara hasta el asiento de atrás y cayera encima de Jack. Este la recogió y se la devolvió a Fong.

–Perdona, Fong –le dijo–, pero se ha volado hasta aquí.

–¡Devuélvemela! –le ordenó Fong dándose la vuelta y quitándosela de las manos–. ¡No toques mis cosas!

Jack volvió a recostarse en su silla, perplejo ante la actitud de Fong. «¿Por qué es tan desagradable?», pensó. Entendía que se hubiera enfadado por mirarle el lunar, pero ahora estaba yendo demasiado lejos. Para empeorar las cosas, a Wong le hizo gracia lo que había dicho Fong, y ahora los dos se pusieron a reírse por lo bajo.

Jack empezó a sentirse incómodo. Quizá no hubiera debido subirse en la camioneta con aquellos dos chicos. La única razón era que pensaba que Fong podía ayudarle a encontrar información sobre el panda desaparecido. Los dos adolescentes comenzaron a hablar en chino mientras Wong le observaba por el retrovisor, con una inquietante mirada.

Lo único que podía hacer Jack era enterarse de qué estaban hablando. Así que, con cuidado, abrió su Mochila de Agente Secreto y sacó el Descodificador de Lenguajes Secretos, un aparato que podía descifrar palabras y textos de cualquier idioma al inglés. Se trataba de uno de los artilugios más útiles de la FPG.

Cuando Jack presionó el botón para encenderlo, salió un pequeño cable con un micrófono. Ajustó el aparato para ponerlo en modo escucha y que tradujese al inglés lo que estaban diciendo Wong y Fong. Mientras el Descodificador escuchaba, Jack observaba la pantalla.

–Tenemos que librarnos de él –dijo Fong dándole otra calada a su cigarrillo–. Es más listo de lo que pensábamos. Sabe que el

panda ha sido raptado y que lo han subido a una camioneta. Solo es cuestión de tiempo que se dé cuenta de que ha sido esta camioneta.

Jack se quedó perplejo cuando leyó aquello. Sabía que había algo raro en Fong y Wong, pero nunca hubiera imaginado que estuvieran involucrados en el secuestro de Ling.

–Me parece bien. Hay que matarlo –se rió Wong.

Jack tragó saliva.

–Podemos decirle que vamos hacia el norte, hasta la Gran Muralla –sugirió Fong–. Y contarle que allí hay alguien que puede tener información sobre el panda.

–Buena idea –asintió Wong–. Me gusta tu plan.

Entonces Jack se dio cuenta de que Wong llevaba el mismo escorpión que Fong tatuado en la mano izquierda. Jack escondió rápidamente el Descodificador de Lenguajes Secretos.

–Vamos a dar una vuelta fuera de la reserva, hacia la Gran Muralla. Wong dice que allí es posible contactar con alguien que puede ayudarnos a encontrar al panda. Creo que merece la pena comprobarlo.

–Por supuesto, Fong –dijo Jack con tranquilidad, como si no supiese nada del plan–. Me encantaría conocer a esa persona.

Fong se giró hacia delante con una discreta sonrisa en la cara. Pasaron por un panel que decía:

GRACIAS
POR VISITAR
LA RESERVA
NATURAL
WOLONG
QUE TENGAN UN BUEN DÍA

Jack dejó el Descodificador de Lenguajes Secretos en el asiento de al lado y cerró los ojos. No podía creer lo que estaba ocurriendo. Estaba siendo secuestrado por unos delincuentes que querían matarlo. Tenía que escapar de Fong y Wong antes de llegar a la Gran Muralla.

Pero ¿cómo lograría Jack librarse de aquellos dos chicos que eran más fuertes que él, en una camioneta que iba a más de ochenta kilómetros por hora? Tenía que ser paciente y esperar una oportunidad. Ojalá no llegara demasiado tarde.

Capítulo 7
La oportunidad

Fong, Wong y Jack viajaron durante un rato hasta que, en medio de la nada, Jack vio otra señal:

EJÉRCITO
DE
TERRACOTA
8 KILÓMETROS

«¡Eso es!», pensó Jack. Precisamente, la semana pasada había visto un programa en la televisión sobre el ejército de terracota, un ejército de casi 8.000 estatuas de arcilla conservado en un museo gigante. Un sitio perfecto para intentar huir de aquellos dos canallas.

–Nunca he visto el ejército de terracota –dijo Jack–. ¿Podemos pararnos a echar un vistazo?

Fong miró a Wong, sorprendido por el interés de Jack. Pero como Fong no sabía que Jack había traducido su conversación, pensó que solo se trataba del capricho de un niño.

–Sí, claro –asintió Fong–. Podemos parar unos cinco minutos para que veas ese ejército de arcilla.

Poco después llegaron al complejo. El edificio del museo era enorme y había un *parking*. Wong entró en las instalaciones y encontró un sitio para aparcar. Apagó el motor. Fong se bajó de la camioneta para dejar salir a Jack.

–No te vayas muy lejos, jovencito –le previno Wong.

–No te preocupes –le aseguró Jack mientras se ajustaba la Mochila de Agente Secreto y se dirigía a la entrada principal.

Pero cuando se disponía a entrar, algo le hizo detenerse. Tenía la sensación de que se había dejado algo. Se volvió hacia la camioneta y vio a Fong rebuscar en el asiento trasero. Sacó un objeto y se lo enseñó a Wong. Cuando Jack se dio cuenta de qué era, le entró el pánico: ¡se trataba del Descodificador de Lenguajes Secretos!

No solo se iba a ganar una bronca de la FPG, sino que se había metido en un buen lío con Fong y Wong. Al principio, los dos chicos no entendieron qué era aquella extraña caja, pero en cuanto vieron las palabras inglesas en la pantalla, ataron cabos. Jack vio que estaban muy enfadados.

Mientras Jack los observaba, Fong se giró hacia él. Sus miradas se cruzaron y Fong le amenazó con los puños. Entonces, los dos adolescentes echaron a correr hacia Jack.

Rápidamente, Jack se metió en el museo. Había varias señales; una de ellas decía: FOSO 1. Como no tenía tiempo para elegir, siguió las flechas. Antes de que pudiera reaccionar, se encontró en una plataforma elevada desde la que se veía una enorme sala abovedada.

El camino llevaba hasta una especie de explanada que rodeaba el pozo, desde donde la gente podía verlo en su totalidad. En medio de aquel lugar, mientras pensaba qué podía hacer, oyó cómo Fong y Wong entraban a toda prisa en el museo.

–¡Te vamos a coger, renacuajo! –gritó Fong.

–¡No te puedes esconder! –le amenazó Wong.

Jack tenía que actuar de inmediato. Lo único que podía hacer era bajar al foso e intentar perderse entre aquel mar de estatuas. Así lo hizo, y al mirar hacia arriba se encontró rodeado por las imágenes más aterradoras.

Jack se adentró como una flecha entre los guerreros de terracota, haciendo zigzag para intentar confundir a Fong y Wong. Pero allí estaban aquellos muchachos odiosos, observándolo desde la plataforma. Acto seguido, se lanzaron en su persecución.

Jack se detuvo un segundo para ver dónde se encontraban. Solo unos soldados lo separaban de ellos. Siguió moviéndose lo más rápido que pudo y, cuando alcanzó el final de una hilera de soldados, miró hacia arriba. Sobre él había otra plataforma de observación.

Saltó hacia arriba, se agarró a la barra y consiguió subirse a la plataforma. Se de-

tuvo un segundo para recobrar el aliento y buscar a Fong y Wong con la mirada. Estaban allí, justo debajo de él, intentando subir.

Jack corrió desesperadamente por la plataforma, cruzó la puerta con el cartel de SALIDA y no se detuvo hasta que llegó a la camioneta de sus perseguidores. Afortunadamente, no la habían cerrado, así que pudo recuperar el Descodificador de Lenguajes Secretos con facilidad.

Con el aparato a salvo en su Mochila de Agente Secreto, Jack buscó una forma de escapar. Desafortunadamente, era demasiado pequeño para conducir.

En ese instante, vislumbró un autocar turístico aparcado enfrente de la camioneta. Por suerte, la puerta estaba totalmente abierta.

–Perfecto –pensó Jack.

Corrió a refugiarse y consiguió entrar en el autobús justo cuando Fong y Wong salían del museo. Se tumbó en el suelo, agarró la manilla de la puerta y, de un portazo, la cerró impidiendo el acceso desde fuera.

Se arrastró al estilo comando por el suelo del pasillo del autobús hasta que encontró un lugar escondido cerca del final. Levantó la cabeza lo suficiente para ver a sus perseguidores, que estaban atónitos en medio del *parking*. Desde luego, no había ni rastro de Jack.

Se acurrucó y se escondió en la parte trasera durante lo que le pareció una eternidad, hasta que sintió un fuerte chorro de aire. Era la puerta del autobús. Alguien la había abierto. Se aferró a las correas de su mochila y esperó en silencio por si se trataba de Fong y Wong.

–Bienvenidos a bordo, señoras y señores –saludó la voz de un estadounidense desde la parte delantera a la gente que iba entrando en el autobús–. Espero que hayan disfrutado con la visita al ejército de terracota. Nuestras próximas paradas son la Gran Muralla China y la magnífica ciudad de Pekín.

Jack pensó que era el conductor del autobús. Así que se quedó escondido en la parte trasera, para que no pudiera descubrirlo. Mientras los turistas iban subiendo, se atrevió a mirar por la ventana otra vez, pero no había rastro de Fong y Wong ni de la camioneta.

Aunque Jack no quería llegar hasta Pekín, sabía que aquel era el lugar más seguro. Aunque no se veía a los dos malvados adolescentes, eso no significaba que no estuvieran esperándolo en la carretera principal. De modo que se preparó para el viaje y empezó a pensar en lo que haría después.

Todavía tenía que rescatar a Ling, devolverla a la reserva y detener a Fong y Wong. Se preguntaba dónde estarían los dos muchachos y dónde habrían escondido a Ling. Jack tenía mucho en que pensar. Y el tiempo se acababa.

Capítulo 8
La Gran Muralla

Jack cogió su Libreta de Cifrado, la activó con el pulgar y empezó a anotar ideas. La Libreta de Cifrado de la FPG permitía a los agentes secretos escribir notas y traducirlas a un código secreto para que los delincuentes no pudiesen usar la información en caso de apoderarse de ella.

Jack escribió lo que había observado desde el inicio de su misión:

Sospechosos: Fong y Wong; apellidos desconocidos.

Perfil de los sospechosos: ambos tienen alrededor de dieciséis años. Fumadores. Llevan ropa oscura.

Marcas distintivas: ambos tienen un escorpión tatuado en la mano izquierda. Fong tiene un lunar peludo en la barbilla.

Más información: dirección desconocida.

Mientras Jack revisaba la información, se dio cuenta de que Fong y Wong tenían que formar parte de una banda. Y es que no solo vestían igual, sino que llevaban el mismo escorpión tatuado.

Los miembros de las bandas a menudo se hacen tatuajes para mostrar su apoyo mutuo. Y el hecho de que ambos llevaran el mismo tatuaje no era ninguna coincidencia. Pero Jack seguía sin saber de qué banda se trataba y por qué habían robado a Ling.

Pero lo que estaba claro era que a los dos chicos les gustaba fumar. Aunque fumar es una mala costumbre, no es algo raro. Ese detalle hizo que Jack recordara la caja de cerillas que había encontrado en el bosque cerca del lugar donde había desaparecido Ling. La sacó de los pantalones para examinarla con detalle.

Parecía idéntica a la que Fong había intentado tirar desde la ventana de la camioneta y que había acabado encima de Jack. Ambas tenían el mismo color y el mismo tipo de caracteres chinos.

Como la gente suele coger las cajas de cerillas de los bares o restaurantes a los que va, Jack se preguntó si la caja del bosque también había pertenecido a Fong. Si lograba descifrar la escritura china, podría

saber de dónde la había sacado Fong. Entonces, podría visitar el lugar y comprobar si los dos chicos solían ir por allí.

Mientras Jack seguía escribiendo y pensando, el autobús avanzaba por las escarpadas montañas chinas hacia la Gran Muralla. Podía ver desde lejos aquella enorme construcción. Hicieron falta más de un millón de personas para construirla, muchas de las cuales murieron. Mientras observaba

la muralla, cuya forma recordaba la espalda de un gran dragón durmiente, intentó imaginar cómo habría sido vivir en la antigua China.

Aunque ya estaban a cientos de kilómetros del ejército de terracota, Jack seguía pendiente de Fong y Wong mirando por la ventana trasera del autobús. El enemigo podía reaparecer en cualquier momento y en cualquier lugar.

Capítulo 9
La pista

Jack colocó la caja de cerillas en la bandeja del asiento y volvió a sacar el Descodificador de Lenguajes Secretos. Cambió el modo de funcionamiento de «escuchar» a «leer».

Entonces, el micrófono se metió hacia dentro y Jack pasó la caja de cerillas por la pantalla.

El Descodificador leyó la información en chino y mostró en la pantalla la siguiente traducción:

Restaurante Valle Feliz

En el corazón de Pekín.
Comida deliciosa a precios deliciosos.
Callejón Dazhalan Lu.
Teléfono 66013269

–Interesante –dijo para sí Jack. Fong había cogido esa caja de cerillas en un restaurante de la capital del país, Pekín. Pero ¿para qué habían ido allí? Puede que porque en Pekín se encontrara el centro de operaciones de la banda.

Como intuía que aquella podía ser una pista interesante, Jack decidió quedarse en el autobús hasta su destino final: la capital de China.

«Quién sabe, puede que esto acabe siendo un golpe de suerte», pensó.

Capítulo 10
El Escorpión

Después de pasar varias horas adormilado, Jack se despertó al oír la potente voz del conductor estadounidense.

–Señoras y señores, hemos llegado –anunció–. Esta es la capital de China, Pekín. Nuestra primera parada será la plaza de Tiananmen. Disponen de dos horas para visitar la plaza y la Ciudad Prohibida.

Jack se unió a los pasajeros con billete para pasar desapercibido. Tuvo suerte, porque el conductor estaba tan ocupado con sus notas, que ni siquiera se fijó en él.

Tras bajar del autobús, Jack se dirigió a la gran plaza de Tiananmen, la mayor del mundo, conocida por estar a la entrada de la Ciudad Prohibida y por haber sido el escenario de las protestas estudiantiles en 1989.

Se sentó en un banco de metal para buscar la dirección del restaurante en el Mapa Amigo de la FPG. Aquel aparato podía descargarse imágenes por satélite de cualquier

zona del planeta y ofrecer mapas detallados
de las rutas para ir de un sitio a otro.

Después de que Jack introdujera la dirección, en el callejón Dazhalan Lu, y su pun-
to de partida, la plaza de Tiananmen, el
Mapa Amigo le mostró el itinerario exacto
que debía seguir, con las indicaciones en in-

glés y en chino, y también con flechas para mostrarle el camino más corto.

Jack se puso en marcha a través de la plaza con su Mapa Amigo en mano. Atravesó Tiananmen y cruzó una enorme puerta que conducía a una calle llena de tiendas y pequeños restaurantes.

Avanzó unas cuantas manzanas y después giró a la derecha en una estrechísima calle con tiendas de medicamentos y ropa en casas antiquísimas. También había vendedores ambulantes que ofrecían todo tipo de comida, desde rollitos de primavera hasta bocadillos de queso y bebidas gaseosas.

Jack siguió avanzando hasta que, tres calles más adelante, encontró el callejón Dazhalan Lu. De acuerdo con la caja de cerillas, allí debía estar el restaurante Valle Feliz y, efectivamente, lo encontró enseguida. Era el único restaurante del callejón y estaba adornado por unas bonitas linternas rojas.

Pero, al acercarse, Jack se dio cuenta de algo más. Junto al restaurante había un edificio con algo muy interesante en la ventana delantera: el dibujo de un escorpión gigante, idéntico al tatuaje que llevaban Fong y Wong.

Ahora las cosas empezaban a encajar. Si estaba en lo cierto, se trataba del cuartel general de la Banda del Escorpión. Y solo había un modo de saber qué estaba ocurriendo allí dentro.

Capítulo 11
El cuartel general

Jack se asomó a la ventana para intentar localizar a Fong y Wong, pero en el interior todo estaba oscuro y parecía que no había nadie allí.

Intentando no llamar la atención, Jack probó a abrir la puerta delantera, pero estaba cerrada. De modo que sacó de su Mochila de Agente Secreto el Hacedor de Llaves Mágicas de la FPG, metió la goma en el agujero de la cerradura y esta se solidificó al instante y se convirtió en una llave. Comprobó que nadie le estaba observando, introdujo la llave, la giró y entró en el edificio.

Una vez dentro, cerró la puerta tras de sí y sacó del bolsillo de la camisa lo que pare-

cía una moneda. Pero no era realmente una moneda, sino el Sensor de Movimiento de la FPG, que enviaría una señal a su Reloj-Teléfono si Fong, Wong o cualquier otro miembro de la banda regresaban. Mientras colocaba el Sensor de Movimiento en la puerta, escuchó un ruido que le hizo sobresaltarse.

–*¡KACK! ¡SQUAK!*

Se giró y volvió a oír aquel ruido.

–*¡KACK! ¡SQUAK!*

Allí estaba. Había una sola cosa capaz de hacer ese ruido, pensó Jack: un pájaro. Buscó entre las tinieblas y distinguió los ojos de un ave encerrada en una jaula.

–Supongo que no sabrás qué están tramando Fong y Wong, ¿verdad? –le preguntó, medio en broma y en voz baja, al pájaro mientras se acercaba a la jaula para verlo mejor.

–*¡KACK! ¡KACK!* –le respondió el pájaro moviendo las alas.

Jack inspeccionó el lugar y vio varias jaulas más que encerraban extraños animales. Aunque no reconoció el primer pájaro, sí sabía qué eran algunas de esas criaturas. Uno era un mono dorado, una variedad muy rara que solo podía encontrarse en China. En una gran jaula de madera había un leopardo de las nieves que parecía drogado. Por último, reconoció a una ibis crestada, una de las aves más raras del planeta.

Después de haber visto a todos aquellos animales encerrados, Jack comprendió que lo que estaban haciendo Fong y Wong era robar animales en peligro de extinción para venderlos. Aquello explicaba por qué habían raptado a Ling. Como el panda era demasiado grande para esa habitación, supuso que estaría en un piso superior. Pero ¿dónde? Tenía que darse prisa y encontrar más pistas.

Mientras buscaba, Jack dio con unas escaleras. Entonces, se sujetó a la barandilla y empezó a subir, muy lentamente para que los peldaños no crujieran.

Tras subir el primer tramo, examinó el oscuro pasillo que había a su derecha. Al fondo pudo ver una pequeña habitación con una televisión encendida, junto a la que dormitaban dos adolescentes sentados en sillas de madera –sin duda, otros dos miembros de la Banda del Escorpión.

Jack siguió subiendo con cuidado hasta el piso superior, donde se encontró con una puerta cerrada. En lugar de abrirla sin más, y para no correr el riesgo de despertar a los chicos de abajo, sacó el Amplificador de Sonido de la FPG. Se colocó el diminuto dispositivo en la oreja para intentar captar cualquier sonido procedente de aquella habitación. Pudo oír varias cosas.

El primer sonido fue el de la calle. El segundo fue un crujir de hierbas. Por último, distinguió el ruido de algo que masticaba.

Jack ató cabos y supuso que en la terraza del último piso se encontraba Ling, el panda gigante, comiendo bambú.

Jack se encontraba ante una situación bastante arriesgada. De algún modo tenía que lograr rescatar al panda sin despertar a sus vigilantes. Se tomó unos segundos para pensar un plan y, acto seguido, se dirigió a la puerta para ponerlo en marcha.

Capítulo 12
Los intrusos

Pero justo cuando Jack se disponía a abrir la puerta, en el Reloj-Teléfono se activó la alarma del Sensor de Movimientos. Miró escaleras abajo y vio que se encendían las luces. Alguien había entrado en el edificio. Una voz de hombre hablando en chino empezó a oírse en el piso de abajo. Jack sacó el Descodificador de Lenguajes Secretos y lo puso en marcha.

–¡Despertaos! –ordenó la voz, que no parecía la de un adulto, sino la de un adolescente.

–¡Levantaos de ahí, vagos! –intervino otra voz joven. Jack reconoció a Fong, lo que implicaba que la primera había sido, probablemente, la voz de Wong.

Desde donde se encontraba, Jack pudo oír cómo se levantaban los chicos de la primera planta. Después, los vio correr escaleras abajo para recibir a Fong y Wong.

Fong parecía el líder del grupo, porque decía al resto dónde debían llevar a los animales. Jack escuchó el sonido de las cajas arrastradas por el suelo. Después, la puerta principal se cerró. Los otros dos chicos habrían salido del edificio, pensó Jack, porque ahora solo se oían las voces de Fong y Wong.

Como sabía que Ling probablemente sería la siguiente, Jack tenía que ponerse manos a la obra. Así que rápidamente abrió la puerta que llevaba al techo. Pero, desgraciadamente, al abrirse produjo un ruido tremendo que resonó en todo el edificio.

¡CRAAAAAAAAAAAAACCCCCCCCC!

–¿Quién anda ahí? –gritó Fong precipitándose escaleras arriba, justo a tiempo para ver cómo Jack salía al tejado.

–¡Cógelo! –gritó a su vez Wong, que se lanzó tras él.

Capítulo 13
La preparación

Jack salió a la terraza y examinó el lugar. Tenía que encontrar un modo de bloquear la salida.

A su izquierda había una estatua de Buda, un personaje religioso muy importante en China. Como era muy pesada, Jack la arrastró delante de la puerta. Así esta aguantaría unos minutos mientras Fong y Wong la aporreaban.

¡BLAM!

La estatua de Buda casi ni se movió.

¡BLAM!

Se movió un poquito.

Pero aquella solución solo podría durar un poco más. Jack tenía que encontrar a Ling antes de que Fong y Wong lograran echar la puerta abajo.

La terraza estaba llena de tiestos de bambú. Jack supuso que el panda estaría escondido detrás de alguno de ellos. Se lanzó en su busca, apartando las ramas y llamando al panda por su nombre.

Por fin, la encontró sentada tranquilamente, comiendo bambú.

–No te preocupes –le dijo, esperando que le entendiera–. Te voy a salvar y a llevar junto a Mei.

¡BLAM!

Jack miró hacia la puerta. La estatua no aguantaría mucho más. Un solo golpe más, y Fong y Wong entrarían en la terraza.

–Vamos allá –le dijo a Ling mientras sacaba algo de la Mochila de Agente Secreto. Se trataba del Mini-Helicóptero de la FPG, un platillo sobre el que el agente secreto se colocaba y con el que podía volar tras montarlo él mismo.

Rápidamente, Jack se puso manos a la obra. Cogió el platillo y lo abrió lo suficiente como para que ambos cupiesen en él. Después, cogió una barra de acero, la «hélice», y la colocó en un agujero en medio del platillo. Cuando terminó, presionó un botón y salieron dos aspas en la parte superior de la barra.

Entonces, Jack corrió hacia los tiestos de bambú y sacó la Pistola Láser de la FPG. Al encenderla, salió un haz de luz blanca y brillante, con el que cortó fácilmente las resistentes ramas del bambú. Recogió todas las que pudo, volvió hacia el Mini-Helicóptero y ató el bambú a la hélice con el cinturón de los pantalones.

Cuando Ling vio el bambú, se desplazó tranquilamente y se sentó en el platillo, justo como Jack había previsto. Entonces, la ató con una cuerda especial que sujetó en la barra de acero para que no se cayera.

¡BLAM!

Jack se sobresaltó. La puerta de la terraza había cedido. Fong y Wong estaban allí, furiosos. Durante unos segundos no supieron qué estaba ocurriendo, pero cuando entendieron las maniobras de Jack, se abalanzaron sobre él.

Capítulo 14
La técnica

Jack se lanzó al Mini-Helicóptero y se ató un cinturón especial en la cintura. Se estiró hacia arriba y alargó los brazos todo lo que pudo. Entonces, el Mini-Helicóptero despegó del suelo, pero no fue lo suficientemente rápido.

Fong y Wong agarraron a Jack por los tobillos y consiguieron desatarle el cinturón. Como ya no estaba sujeto, cayó violentamente al suelo. Dio unos cuantos tumbos y quedó tendido boca arriba. El Mini-Helicóptero, al no estar Jack de pie sobre él, descendió hasta posarse de nuevo sobre la terraza.

–¡Vas a ver lo que es bueno! –le gritó Fong lanzándole una intensa mirada de odio.

–¡Te voy a enseñar quién manda aquí! –gruñó Wong amenazando con los puños a Jack.

La FPG siempre les enseña a sus agentes secretos a mantener la calma en situaciones peligrosas. Jack no se iba a dejar amedrentar por aquellos tipos. Así que se irguió.

–¿Qué te parece si acabamos con este renacuajo de una vez? –dijo Wong.

–Será un placer –replicó Fong preparándose para la pelea.

Cuando Wong se abalanzaba sobre él, Jack recordó la llave *harai goshi*. Como sus enemigos eran chinos, Jack supuso que probablemente no conocían los movimientos de un arte marcial japonés como el judo. Así que agarró a Wong por las mangas y movió el cuerpo hacia delante. Antes de que Wong se diera cuenta de lo que sucedía, Jack lo levantó sobre su espalda, le agarró la pernera del pantalón y lo derribó en el suelo.

En la caída, Wong se golpeó la cabeza con uno de los tiestos de bambú y se quedó fuera de juego.

–¡Mira lo que le has hecho a mi amigo! –gritó Fong–. ¡Te vas a enterar! –sacó una navaja del bolsillo e intentó arremeter contra Jack.

Pero Jack fue más rápido. Agarró a Fong por la manga y metió la pierna izquierda contra el pie derecho del chino, que empezó a perder el equilibrio. Jack utilizó el peso de su cuerpo para desequilibrarlo hacia atrás. Era la llave *deashi harai* o «barrido de pie hacia delante», una de sus técnicas de judo favoritas. Con Fong tendido en el suelo, Jack se colocó sobre él y le pisó la muñeca para que soltara la navaja.

—¡Aaaaay! —se quejó Fong agarrándose la muñeca con la otra mano.

Jack recogió la navaja, la cerró y se la guardó en el bolsillo para más seguridad. De su Mochila de Agente Secreto sacó el Lanzador de Red. Entonces, lo arrojó sobre los dos delincuentes, que quedaron atrapados.

Jack llamó a la policía local y les contó lo sucedido. Les pidió que se encontra-

ran con él en la terraza del tejado. Cuando terminó la llamada, Wong había empezado a despertarse y Fong se arrastraba por el suelo.

Pocos minutos más tarde, la policía irrumpió en el edificio. Al ver a Ling en el tejado, parecieron bastante disgustados con Fong y Wong.

Jack quitó la red para que la policía pudiera esposar a los ladrones y llevárselos de allí. Antes de cruzar la puerta, Fong y Wong miraron a Jack y le dedicaron una sonrisita burlona.

Jack se despidió de la pareja de delincuentes con un gesto de la mano, pero sabía que estarían fuera de circulación durante un buen tiempo, porque dañar o robar un panda gigante era un grave delito en China.

Un oficial de la policía se dirigió a Jack para decirle que habían capturado a los otros dos chicos mientras transportaban las cajas de animales a un edificio cercano. Jack estaba muy satisfecho porque había acabado definitivamente con la Banda del Escorpión.

Capítulo 15
El desenlace

Jack pensó que sería mejor llevar a Ling en una furgoneta, así que arregló el transporte con la policía local y la Unidad de Protección Animal y llamó a la Reserva Natural Wolong con su Reloj-Teléfono para comunicarle a Mei las buenas noticias.

—No sé cómo agradecértelo, agente secreto Jack —dijo Mei—. Pero ¿quién se había llevado a Ling?

—Fueron el ayudante del parque, Fong, y su amigo Wong —le explicó.

Mei emitió un ruido de asombro.

–No eran lo que parecían ser –prosiguió Jack–. Junto con otros dos chicos, Fong y Wong formaban parte de una banda que robaba animales en peligro de extinción. Planeaban venderlos, y los tenían ocultos en un edificio en Pekín. Creo que Fong solo trabajaba en la reserva para poder llevarse a Ling.

Mei estaba muy disgustada.

–Es horrible. No puedo creerlo –dijo.

–Yo tampoco, Mei –replicó Jack, y consultó la hora–. En fin, ya que todo se ha solucionado, tengo que marcharme.

–De acuerdo –dijo Mei–. Pero recuerda que serás bienvenido en China siempre que quieras. Y muchísimas gracias otra vez.

–De nada –respondió Jack–. Espero que ahora Ling esté a salvo –se despidió y colgó.

Jack examinó el tejado. Los malhechores se habían ido, la policía y Ling también. Solo quedaba él.

Así que presionó varios botones de su Reloj-Teléfono y, cuando estuvo preparado, exclamó:

−¡A Inglaterra!

Casi de inmediato, Jack fue transportado de vuelta a casa. Al llegar, miró a Whizzy, que seguía dormitando, y la estantería de la esquina de su habitación, donde había trofeos y fotos de su primer año de judo con el señor Baskin.

Al ver aquello, sonrió. Esta vez no había sido ningún aparato lo que le había salvado de Fong y Wong, sino su rapidez y las artes marciales. Agradeció al señor Baskin que hubiese sido tan buen profesor de judo.

Mientras se cambiaba de ropa y se metía en la cama, Jack pensó un instante en Charlotte, la chica que le había derribado con el *harai goshi*. Pero ella no sabía que él había practicado un poco más... Ahora estaría más que preparado para enfrentarse a ella el próximo fin de semana. En realidad, lo estaba deseando.

ÚNETE A JACK STALWART EN SUS AVENTURAS

NOTAS DEL AGENTE SECRETO

NOTAS DEL AGENTE SECRETO

NOTAS DEL AGENTE SECRETO